学研の図鑑 LIVE（ライフ）

鉄道（てつどう）の クイズ図鑑（ずかん）

改訂版

鉄道（てつどう）のクイズ**100**問（もん）！いくつ答（こた）えられるかな？

鉄道のクイズ図鑑

もくじ

この本で出てくる名前の略称について

※ここにあげた略称名以外でよばれることもあります。

SL：蒸気機関車のこと。英語の Steam Locomotive の頭文字をとったものです。

国鉄：日本国有鉄道公社（JRの前身で、1987年、いわゆる国鉄民営化によって、12の会社や組織に分割されました。）

JR：国鉄の分割民営化によって生まれた会社の略称です。旅客営業をおこなう6社のほかに、JR貨物、JR総研などがあります。

■おもな鉄道会社の略称と正式名（「株式会社」は省略）

JR北海道：北海道旅客鉄道	近鉄：近畿日本鉄道	小田急：小田急電鉄
JR東日本：東日本旅客鉄道	東武：東武鉄道	西鉄：西日本鉄道
JR東海：東海旅客鉄道	名鉄：名古屋鉄道	東急：東京急行電鉄
JR西日本：西日本旅客鉄道	東京メトロ：東京地下鉄	京阪：京阪電気鉄道
JR四国：四国旅客鉄道	西武：西武鉄道	京急：京浜急行電鉄
JR九州：九州旅客鉄道	南海：南海電気鉄道	京王：京王電鉄
JR貨物：日本貨物鉄道	京成：京成電鉄	阪神：阪神電気鉄道
	阪急：阪急電鉄	相鉄：相模鉄道

単位
- ■長さ…mm は、ミリメートルです。
  - cm は、センチメートルです。（1cm は、10mm です。）
  - m は、メートルです。（1m は、100cm です。）
  - km は、キロメートルです。（1km は、1000m です。）
- ■速さ…1時間あたりに進む距離で表します。

●本書に掲載した速度、運転区間、編成などはすべて2019年10月現在のデータです。

5

日本でいちばん速く走る
新幹線の列車の名前は？

はや〜い、鳥だ！

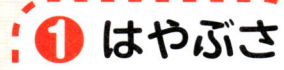

1 はやぶさ
2 のぞみ
3 はやて

いちばん速いのは「はやぶさ」
最高時速 320km

　東北新幹線の「はやぶさ」は、最高時速 320km
で走る、日本でいちばん速い列車です。
　「はやぶさ」は東京駅と新青森駅の間を
最短2時間 59 分で結んでいます。

東北新幹線で色のちがう列車が連結されて走っているのはなぜ？

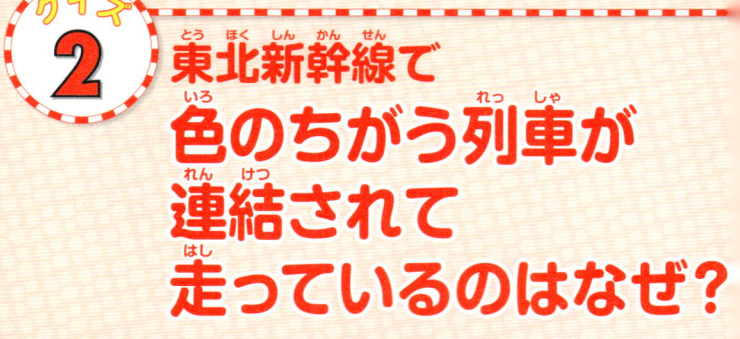

❶ 片方が故障しても
走り続けられるようにするため

❷ とちゅうから2つにわかれて走るため

❸ お客さんが好きな色の車両を
選べるようにするため

とちゅうから2つに
わかれて走るため

▲空気抵抗を減らすためにE6系先頭車の鼻はとても長くなっています。

東京と新青森を結んでいる東北新幹線には、「はやぶさ」と、盛岡から秋田新幹線にわかれる赤い新幹線「こまち」が走ります。E6系を使って走る「こまち」は、東京—盛岡間で「はやぶさ」と連結されて、最高時速320kmで走ります。

▶架線から電気を取るパンタグラフは小型で、空気抵抗や騒音を減らしています。

今、走っている新幹線 いちばん多い形式は何？

これは東海道新幹線かな？

電車の中で、作られた両数が

① E2系

② N700系

③ 800系

N700系

東海道・山陽新幹線の主力として活躍している N700 系は、2007 年から現在までの間に約 1900 両が作られ、なお増備が続いています。

2013 年 2 月からは、安全性をさらに高めた 1000 番台（通称 N700A）が登場し、2020 年 7 月からはブレーキシステムを改良するなどした N700S の運行を予定しています。

▼N700A

▲JR西日本の山陽・九州新幹線用 N700系

東海道新幹線が開通
してから現在までの間に、
いちばん数多く作られた
新幹線電車の形式は何？

ヤッホー！

① 0系
② 300系
③ N700系

19

これまでにいちばん数多く作られた形式は
0系

▲初期の0系。客席の窓は横長です。

▲開業前の試作車にはこんな形もありました。

　1964年、東京—新大阪間に東海道新幹線が開業したときに登場したのが0系です。その後0系は1987年まで、さまざまな改良が加えられながら作り続けられて、最終的には3216両が作られました。じつは、初めから0系とよばれていたわけではなく、東北・上越新幹線の200系が登場した1980年ころから0系とよばれるようになりました。

▲あとから作られた車両は客席の窓が小さく、縦長です。

「ドクターイエロー」と

❶ 橋やトンネルに異常がないかチェックする

❷ 線路の上に障害物がないかチェックする

❸ 線路や架線の状態をチェックする

よばれるこの車両の役割は何？

おいしゃさん？

線路や架線の状態を チェックする

<small>せん ろ か せん じょう たい</small>

▶走行中(そうこうちゅう)に屋根(やね)の上(うえ)の架線(かせん)の状態(じょうたい)を調(しら)べる観察台(かんさつだい)。

客席がない！

▼走(はし)りながらレールの状態(じょうたい)を調(しら)べる特殊(とくしゅ)な台車(だいしゃ)。

923-4

　黄色の車体で有名な「ドクターイエロー」こと 923 形は、新幹線電気軌道総合試験車です。新幹線が安全に走れるように、お客を乗せて走る営業用車両と同じ速度で東海道新幹線や山陽新幹線を走りながら、架線や線路の状態をチェックします。

▲JR 東日本の新幹線では「East i（イーストアイ）」とよばれる試験車が使われています。

新幹線でいちばん多くのお客が乗れる形式は何？

1 N700系
2 800系
3 E4系

クイズ
7

新幹線に初めて登場した2階建ての車両は？

① 100系
② 200系
③ E4系

E4系

東北・上越新幹線用のオール2階建て車両として作られたE4系は8両編成で1編成あたりの定員が817名。

E4系を2編成連結して運転される列車では、定員は1634名にもなり、これは世界でも最多です。

クイズ 7 の答え ①

100系

　東海道・山陽新幹線の100系は、東海道新幹線の開業から運用された0系に代わるものとして登場しました。編成中には2階建てグリーン車と2階建て食堂車が連結され、グリーン車の1階には新幹線初の個室が設置されました。

　100系は1985年から営業運転を開始し、2012年3月に営業運転を終了しました。

▲ながめのよい2階が食堂車になりました。

クイズ 8

東海道新幹線が開業したとき、
「ひかり」は東京―新大阪間を
どれくらいの時間で走った？

❶ 2時間30分　　**❷** 3時間10分　　**❸** 4時間

クイズ 9

新幹線の線路は
通っているけれど、
駅がないのは何県？

❶ 三重県　　**❷** 茨城県　　**❸** 佐賀県

クイズ 10

新幹線のトンネルでいちばん
長いトンネルの長さは？

❶ 10.5km　　**❷** 26.5km　　**❸** 53.8ｋｍ

クイズ 11

東京から鹿児島中央まで
新幹線に乗ると、通り抜ける
トンネルの数はいくつ？

 **❶** 45　**❷** 174　**❸** 274

クイズ 12

新幹線の鉄橋の中で
いちばん長い
鉄橋の長さは？

❶ 1068m　**❷** 2568m　**❸** 3868m

クイズ 13

新幹線 955 形電車が作った
スピード記録は？

❶ 時速 253km　**❷** 時速 333km　**❸** 時速 443km

クイズ **8** の答え ③ 4時間

東海道新幹線は 1964 年に開業してから1年間は、線路を安定させるために速度を落として運転され、東京―新大阪間の所要時間は4時間でした。その後、1965 年に所要時間は3時間 10 分に縮められました。

現在では「ひかり」よりも速い「のぞみ」も運転され、「のぞみ」は2時間 22 分から 36 分で東京―新大阪間を結んでいます。

クイズ **9** の答え ② 茨城県

東北新幹線は茨城県（古河市・五霞町）を約 10km 走行しますが、この間に駅は設置されていません。

クイズ **10** の答え ③ 53.8km

新幹線のトンネルでいちばん長いのは、北海道と本州を結ぶ青函トンネルで 53.8km です。青森県東津軽郡今別町浜名と北海道上磯郡知内町湯ノ里を結ぶ海底トンネルです。

クイズ11の答え　③ 274

　近年に開業する鉄道の路線は、どこもトンネルがふえています。技術が進歩して長いトンネルも安全に掘れるようになったことと、トンネルは切り通しや築堤よりも、開通後の保守が楽なことが大きな理由です。

クイズ12の答え　③ 3868m

　東北新幹線の一ノ関—水沢江刺間（岩手県）にある第1北上川橋梁です。

クイズ13の答え　③ 時速443km

　「300X」の愛称をもつ955形による速度試験で1996年7月に記録しました。これは磁気浮上式鉄道をのぞけば国内最速です。955形は2002年に廃車となり、現在は名古屋市の「リニア・鉄道館」と米原市の「鉄道総合技術研究所」で1両ずつ保存されています。

1989年に登場した「トワイライトエクスプレス」は1回の運行で何km走った？

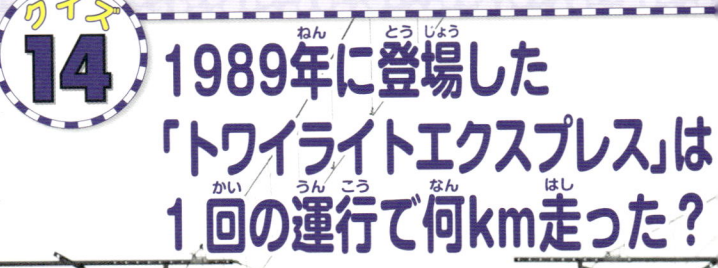

深緑色の車体に金色の帯をしめた10両編成を、北海道内ではDD51が重連で引きました。

1. 約 1000km
2. 約 1500km
3. 約 2000km

トワイライトとは夜明けや夕方の薄明かりのことなんだって

約 1500km

「トワイライトエクスプレス」は、下り大阪発札幌行きは1495.7km を約 22 時間かけて、上り札幌発大阪行きは1508.5km を約 22 時間 50 分かけて走りました。国鉄民営化以降では、日本一の長距離旅客列車でした。

おもな停車駅と運転線区

大阪	新大阪	京都		敦賀		金沢		富山
東海道本線			湖西線		北陸本線			

JR 西日本

臨時列車は2015年3月に、団体専用列車は2016年3月に廃止されました。「トワイライトエクスプレス」の名前は、2017年に登場した豪華寝台列車「TWILIGHT EXPRESS瑞風」に受けつがれています。

▲大きな窓の展望サロンカー
「サロンデュノール」も連結されていて、日本海の景色などを楽しめました。

▶食堂車「ダイナープレヤデス」ではフランス料理のフルコースも楽しめました。

直江津		新津		函館本線		洞爺	東室蘭		南千歳		札幌

信越本線	羽越本線	奥羽本線	津軽海峡線		室蘭本線		千歳線	

JR東日本　　　　　　　　　　　　　　　　　　　　　　　　　JR北海道

▲運転線区は、JR西日本・JR東日本・JR北海道のJR旅客3社にまたがりました。

クイズ 15

湖西線を経由し、大阪

- ❶ しらさぎ
- ❷ ダイナスター
- ❸ サンダーバード

と金沢を結ぶ特急の名前は？

▼681系列車

▲683系

特急「サンダーバード」は、東海道本線・湖西線・北陸本線を経由し、大阪と金沢を結ぶ利用客の多い特急です。京阪神・北陸間の特急は長年「雷鳥」の愛称で親しまれていましたが、現在は「サンダーバード」に統一されています。681系と683系が使用されています。

1958年に国鉄で初めての電車特急が誕生しました。その特急は？

1. ひかり
2. こだま
3. はやぶさ

登場したときは20系、のちに151系とよばれるようになりました。

ヤッホー！

クイズ 17

1956年に登場し、のちに
「ブルートレイン」の愛称でも
親しまれた寝台特急は？

❶ あさかぜ

❷ さくら

❸ はやぶさ

▼初めのうちは EF58 が
引いていました。

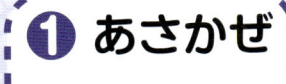

もうすぐ朝だ

43

東海道本線の全線電化が完成すると、国鉄初の電車特急「こだま」が運転を開始しました。「こだま」は東京—大阪・神戸間に運転され、東京—大阪の所要時間は 6 時間 50 分。東京—大阪間の鉄道による日帰りが、初めてできるようになりました。このため「ビジネス特急」というニックネームもつけられました。

▲151 系「こだま」。前のページとどこが変わったかわかるかな?

クイズ **17** の答え ① あさかぜ

1956 年に登場した東京—博多間の寝台特急「あさかぜ」は、1958 年秋から 20 系客車を使用して運転されました。20 系は、当時はめずらしかった冷房完備の豪華な車両で、車体の青い色にちなみ「ブルートレイン」とよばれ、その後 20 系客車を使用した他の寝台特急もそのようによばれました。

▲下り最後尾の、大きな 2 枚窓の客車も人気がありました。

1960年、国鉄初めてのディーゼル特急が誕生。このときの運転区間は？

① 上野—青森　**②** 上野—仙台

③ 大阪—名古屋

▲常磐線を行くキハ81ディーゼル特急。

1967年、日本で初めての寝台電車581系が誕生。この電車につけられた愛称は？

① 星空形

② 月光形

③ あさかぜ形

　日本で初めてディーゼルカーを使った特急「はつかり」は、1960年、まだ電化されていなかった常磐線、東北本線を経由して、上野と青森の間に運転されました。使用した車両は当時の最新鋭ディーゼルカー、キハ81でした。「はつかり」は東北初の特急でもあり、キハ81が使われる前は蒸気機関車が牽引していました。

▲上野駅のキハ81「はつかり」

クイズ **19** の答え　② 月光形

　初めて使用された新大阪—博多間の寝台特急「月光」にちなんで、月光形とよばれるようになりました。581 系は、座席と寝台の両方の設備を備え、昼間の特急としても、夜行の寝台特急としても使える便利な車両でした。

　直流電化区間も交流電化区間も走れる交直両用電車ですが、その後、東北本線の電化に合わせて日本全国の交流区間を走れるように改良された 583 系として増備され、「はつかり」もディーゼルカーから 583 系に代わりました。

▲東北本線で活躍した 583 系「はつかり」

特急「カムイ」は北海道の札幌とどの都市を結ぶ列車？

1 釧路

2 旭川

3 室蘭

クイズ 21

新潟と酒田・秋田を白新線・羽越線経由で結ぶ特急は？

❶ いなほ

❷ つがる

❸ しらゆき

クイズ **20** の答え ② 旭川（あさひかわ）

　JR北海道の看板特急として札幌－旭川間で運転されている特急「カムイ」。同区間は特急「ライラック」も走っており、ともに観光・ビジネスに活躍しています。

クイズ **21** の答え **①** いなほ

　特急「いなほ」は新潟から日本海沿岸を経由し山形県庄内地方・秋田を結ぶ列車です。車両はE653系が使われており、日本海の夕日がデザインされた塗装の基本編成のほか、瑠璃色、ハマナス色があります。新潟駅では上越新幹線「とき」と同じホームで乗り換えられるようになりました。

JR東海飯田線で運転されている特急の名前は？

① ワイドビューひだ

② ワイドビューふじかわ

③ ワイドビュー伊那路

ワイドなながめを楽しめる373系電車を使用して1日2往復の特急が伊那谷を走ります。

クイズ 23

山陰本線と山口線を直通運転する特急「スーパーおき」の特長は？

❶ 曲線では車体をかたむけて走る

❷ トンネルでは車体を低くして走る

❸ 坂道ではエンジンとモーターの両方の力で走る

▲キハ 187 系「スーパーおき」

ワイドビュー伊那路

　飯田線は南アルプス（赤石山脈）と、中央アルプス（木曽山脈）にはさまれた伊那谷を南北に走るローカル線です。
　現在はながめのよいことで評判の373系を使用した特急が、豊橋—飯田間に運転されています。

▲3両編成の短い列車です。

クイズ 23 の答え ①

曲線では車体をかたむけて走る

　曲線の多い路線を走る「スーパーおき」に使われているキハ187系は、制御付き振り子システムを搭載した車両です。あらかじめ曲線の位置をコンピューターが記憶し、曲線で車体を内側にかたむけることで、ふつうの車両よりも高速で走ることができます。

振り子車両のしくみ

　曲線では、遠心力で体が左右にゆすられて気分が悪くなる乗客も出てきます。振り子車両では、コロの上で車体をすべらせて内側にかたむけ、遠心力を減らすので乗りごこちもよくなります。

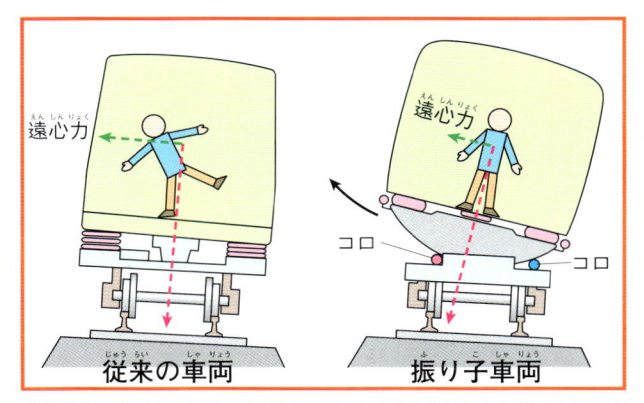

遠心力

遠心力

コロ

コロ

従来の車両　　　　振り子車両

四国の徳島と阿波池田を結んで走る特急は？

1 剣山（つるぎさん）

2 いしづち

3 うずしお

▼徳島線を走る短距離特急は、軽快な車体のキハ185系で運転。

クイズ 25

有明海の景色を楽しめる JR九州の観光特急は？

① はやとの風

② 海幸山幸

③ A列車で行こう

▲有明海沿いに三角線を走る観光特急です。

徳島と阿波池田を結ぶ74.0kmの徳島線を走っているのが、特急「剣山」です。公募で決まった列車の愛称は、四国で2番目に高い地元の山にちなんだものです。徳島線は吉野川の流れに沿って走る風景の美しい路線です。

クイズ 25 の答え

A 列車で行こう

「A 列車で行こう」は、JR 九州が、熊本と三角の間で運転している観光特急です。列車は 2 両編成で、車内は木の質感をいかしたデザインが特徴です。有明海につき出した宇土半島を走る三角線では、いたるところで有明海の美しいながめを楽しめます。

▼窓に向かってすわれる席もあります。

寝台特急
「サンライズ出雲・瀬戸」に
連結されており、寝台のように
横になれる座席の愛称は？

① ドリームカー

② ゴロンとシート

③ ノビノビ座席

クイズ 27

JR四国土讃線
多度津－大歩危間を走る
観光特急は？

① 四国まんなか千年ものがたり

② 伊予灘ものがたり

③ 幕末維新号

クイズ 26 の答え ③
ノビノビ座席

寝台特急「サンライズ出雲・瀬戸」は東京と出雲市・高松とを結びます。ノビノビ座席は寝台車より安い料金で利用できる設備です。毛布やカーテンも備えつけられています。

▲「サンライズ出雲・瀬戸」には、洗面台がある車両もあります。

クイズ27の答え ①

四国まんなか千年ものがたり

「四国まんなか千年ものがたり」はキハ185系を改造した観光特急です。車内で香川県と徳島県の味覚が楽しめるほか、秘境駅で有名な坪尻駅でも下車できます。

寝台特急「カシオペア」に連結されている 2 人用のいちばん豪華な A 個室の愛称は？

1. デュエット
2. ツインデラックス
3. カシオペアスイート

◀ 上野からは EF510 が牽引します。

クイズ **28** の答え ❸

カシオペアスイート

「カシオペア」は、A個室寝台だけが連結された豪華な寝台特急列車です。その中でも「カシオペアスイート」とよばれる個室は、シャワーやトイレ、リビングスペースまで備えたホテル並みの豪華な設備がじまんです。

現在は「カシオペア紀行」の名前で、団体専用寝台特急として不定期に運行されています。

▶展望室付き「カシオペアスイート」のある１号車。

▼EF510の側面。客車と同じ銀色のEF510もあります。

EAST JAPAN RAILWAY COMPANY

▼ステンレス製の
銀色の車体が特徴です。

特急「あずさ」で、もっとも
千葉発南小谷行きはいくつの

❶ 4つ

❷ 5つ

❸ 6つ

長い距離を走る
都道府県を通過する？

特急（とっきゅう）「あずさ」はおもに新宿（しんじゅく）−松本（まつもと）間（かん）で運行（うんこう）されていますが、千葉駅（ちばえき）や東京駅（とうきょうえき）を発着（はっちゃく）する列車（れっしゃ）もあります。もっとも長（なが）い距離（きょり）を走（はし）るのは千葉駅（ちばえき）と大糸線（おおいとせん）・南小谷駅（みなみおたりえき）間（かん）を走（はし）る「あずさ」で、千葉県（ちばけん）・東京都（とうきょうと）・神奈川県（かながわけん）・山梨県（やまなしけん）・長野県（ながのけん）を通過（つうか）します。

博多と長崎・佐賀間を走る、白くスマートなすがたをしたJR九州の特急はどれ？

❶ かもめ　　　　❷ つばめ

❸ はと

1981年以降、首都圏と伊豆半島を結ぶ特急につけられている名称は？

❶ リゾート21　　　❷ 踊り子

❸ あまぎ

次の観光特急のうち、先頭が展望席になった「パノラマシート」のある列車はどれ？

❶ 九州横断特急　　　❷ ハウステンボス

❸ あそぼーい！

クイズ 33

電化されている山陽本線を走るのに、**ディーゼルカーを使って運転されている大阪発の特急は何？**

❶ はまかぜ　　**❷** きのさき　　**❸** サンダーバード

クイズ 34

次のうち、**運転本数がいちばん多いJRの特急はどれ？**

❶ 成田エクスプレス　　**❷** ソニック

❸ サンダーバード

クイズ 35

次のうち、**日本でいちばん北にある稚内駅まで走る列車はどれ？**

❶ 宗谷

❷ オホーツク

❸ すずらん

① 「かもめ」

　JR九州の特急列車885系は、白い色の車体から「かもめ」の愛称で親しまれています。車内は高級感のある黒い革ばりのシートなど、落ち着いた雰囲気です。6両編成の1号車にはデラックスグリーン席があり、横3列配置、12席の大型リクライニングシートがあります。振子式車両で、カーブを高速で通過することができます。

② 踊り子

　特急「踊り子」は川端康成の小説「伊豆の踊子」にちなんで名付けられました。2020年から新型車両E261系を使用した観光特急「サフィール踊り子」が運行されます。

③ あそぼーい！

　JR九州の豊肥本線を経由して、阿蘇と別府の間を走る観光特急です。この列車に使用されているキハ183系1000番台には、先頭部に展望席があり、車内にはマスコットキャラクターの、犬の「くろちゃん」のイラストがたくさん描かれています。

クイズ**33**の答え　❶ はまかぜ

　大阪から鳥取方面へ走る特急「はまかぜ」は、姫路までは電化されている山陽本線を走りますが、その先は非電化の播但線、山陰本線を走ります。ディーゼルカーが使用されているのはこのためです。

クイズ**34**の答え　❷ ソニック

　鹿児島本線・日豊本線を経由して、博多—大分間などに運転されている電車特急で、毎日、多くのビジネス客、観光客に親しまれています。使用されている 883 系と 885 系は振り子システムを採用し、カーブを速い速度で走ることができます。

クイズ**35**の答え　❶ 宗谷

　日本でもっとも北にある駅、稚内。この駅を訪れる特急は「宗谷」と「サロベツ」の 2 列車です。ともに、カーブで車体を内側にかたむけることでより速く走る振り子機構を搭載しており、大幅なスピードアップを実現しました。

磐越西線で運転している

SL列車の名前は？

❶「SL ばんえつ物語」号

❷「やまぐち」号

❸「かわね路」号

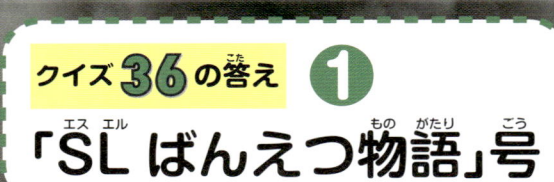

福島県の郡山と新潟県の新津を結ぶ磐越西線で、観光シーズンのおもに土・日に1日1往復運転されているＳＬ列車が「SL ばんえつ物語」号です。Ｃ57形蒸気機関車が7両の客車を引き、このうちの4号車は床を高くあげた展望車、7号車は車両の端を大窓にしたグリーン展望車です。

▲7号車のグリーン展望車

▼1946年に作られたＣ57が牽引します。

蒸気機関車がたくさんある、この博物館はどこにある？

1 京都府
2 北海道
3 東京都

　京都府にある「京都鉄道博物館」には、明治から昭和に走っていた代表的な蒸気機関車が多く展示されています。なかには、実際に走ることができるものもあります。扇形に広がった扇形車庫は、国の重要文化財です。この博物館には、新幹線、特急も多く展示されていますが、以前は蒸気機関車を専門とする博物館（「梅小路蒸気機関車館」）でした。

▲機関車の向きを変える転車台を取り囲んで扇形車庫があります。

クイズ 38

C62形 SL が
出したスピードの
世界記録は時速何km？

❶ 105km ❷ 129km ❸ 175km

クイズ 39

SL はどこの国で
発明された？

❶ イギリス ❷ アメリカ ❸ 中国

クイズ 40

国鉄が 1979 年に、
初めて SL の復活運転を
行った路線はどこ？

❶ 山口線 ❷ 磐越西線 ❸ 上越線

クイズ 41

1976年、国鉄よりも
ひと足早く SL の復活運転を
始めた私鉄はどこ？

❶ 秩父鉄道　❷ 大井川鐵道　❸ 真岡鐵道

クイズ 42

SL が走るのに必要なものとして
積んでいるものは、石炭と、
もうひとつは何？

❶ 水　　❷ ガソリン　❸ 灯油

クイズ 43

日本でいちばん数多く
作られた SL は何？

❶ C11形　❷ C62形　❸ D51形

87

❷ **時速 129km**

　C62 形蒸気機関車は1948 年から 1949 年の間に 49 両が作られた、日本でもっとも大きな旅客用蒸気機関車です。
　1954 年 12 月 15 日に東海道本線でおこなわれた試験運転では、木曽川橋梁上で時速 129km を記録。これは狭軌の蒸気機関車の世界記録です。

❶ **イギリス**

　1825 年、イギリスでストックトンとダーリントンを結ぶ世界で初めての鉄道が開業。蒸気機関車が旅客列車を引き、40km を走りました。このころ、日本はまだ江戸時代でした。

❶ **山口線**

　1979 年 8 月 1 日、山口線小郡（現在の新山口）―津和野間でC57 形 1 号機関車が引く列車の運転を開始。1975 年から絶えていた国鉄（現在の JR）の蒸気機関車の運転が復活しました。

クイズ**41**の答え　② 大井川鐵道

静岡県の大井川鐵道では、1976年7月9日にSLの復活運転を開始。これは国鉄（現在のJR）よりも早い、日本で初めてのものでした。今も大井川鐵道では、ほぼ毎日、SLの運転が続けられています。

クイズ**42**の答え　① 水

蒸気機関車は水を沸騰させて水蒸気を発生させ、その水蒸気の圧力でピストンを動かして走ります。水がなくなると、石炭が残っていても、機関車は動くことができません。それで、蒸気機関車はたくさんの水を積んでいます。

クイズ**43**の答え　③ D51形

D51形は、1936年から1115両が作られた蒸気機関車です。日本の機関車としてはもっとも多く、もとは貨物列車用として作られましたが、使いやすい機関車だったことから、旅客列車牽引にも使用されました。

D51形の D とは

1 動軸の数
2 機関車の大きさ
3 機関車が出せる最高速度

何を意味している？

動軸の数

▲動軸が
3つの C62

▶動軸が
4つの D51

　蒸気機関車の動輪の軸を動軸といいます。動軸の数を1から順にA、B、C、D…のアルファベットにおきかえて、形式の最初の文字にしています。いちばん有名なD51（デゴイチ）機関車は、4本の動軸を備えているというわけです。

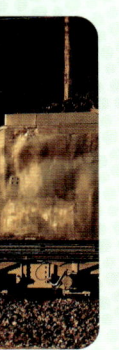

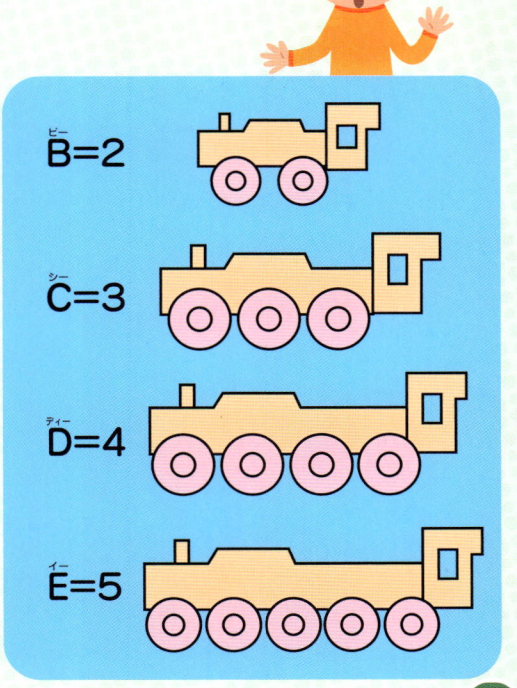

B=2

C=3

D=4

E=5

クイズ 45

SL はなぜ黒い？

① 車体がさびないようにするため

② 煙の汚れがわからないようにするため

③ 熱を伝わりやすくするため

クイズ 46

キラリと光る SL の ナンバープレート。 何でできている？

① 銅と錫の合金

② しんちゅう

③ 金

クイズ 47

日本の SL の航続距離
（1 回に連続して走れる距離）は、
およそどれくらい？

❶100km　❷500km　❸1000km

クイズ 48

日本の SL の動輪の
大きさ（直径）は、
いちばん大きなもので
どれくらい？

❶1750mm　❷1500mm　❸960mm

クイズ 49

蒸気機関車の運転には
何人の乗務員が必要？

❶1人

❷2人

❸3人

SLが黒いのは
車体がさびないようにするため

SLの車体はさびやすい鉄でできているので、「黒染め」とよばれる化学処理をして黒くじょうぶな皮膜を作りさびを防ぎます。それでSLは黒いのですが、さらに塗料を塗って皮膜を長持ちさせることもあります。

蒸気機関車のナンバープレートは砲金とよばれる錫と銅の合金で作られています。さびることなく、耐久性にも優れていることから重宝された素材で、大砲の砲身に使われたことから、この名前がつきました。

日本の蒸気機関車は、石炭や水の積載量などの関係から、およそ100km走るごとに補給を必要とします。大きな駅には水タンクなどの補給施設が作られました。

クイズ48の答え **❶** 直径 **1750mm**

　日本の旅客用の蒸気機関車で、特急や急行を引く目的に作られたものは、直径 1750mm という大きな動輪が使われました。動輪を大きくすることで、スピードを出すことができます。現在も走っている SL では C57、C61，C62 の動輪がこの大きさです。

▶函館本線で急行を引いていた C62

クイズ49の答え **❷** 2人

　蒸気機関車は運転操作をする機関士と、ボイラーに石炭をくべ、安全確認の手伝いもする機関助士の2名で運転するのがふつうです。電車などより運転がむずかしい蒸気機関車は、この2人が息を合わせることが大切なのです。最近の復活運転では安全確認のために3～4人が乗務することもあります。

D51を改造して
次のうちどれ？

作られた蒸気機関車は

① C60
シー

② C61
シー

③ C62
シー

クイズ **50** の答え（こた） **②** C61（シー）

C61は、D51のボイラーに直径1750mmの大きな動輪をもつ足回りをつけて急行旅客用に改造したものです。

C6120号機は、国鉄を引退したあと群馬県の公園に保存されていましたが、これを復元修理して2011年に復活しました。おもに上越線などで臨時列車を引いています。

▼国鉄時代のC6120号機

上野と成田空港を結ぶ「京成スカイライナー」の最高速度は？

❶ 時速 115km

❷ 時速 150km

❸ 時速 160km

ヒントは写真の中にあるよ！

時速 160km

　成田スカイアクセス線は、2010年に開通した、都心と成田空港を結ぶルートです。それまで京成本線経由で運転されていた特急「スカイライナー」は成田スカイアクセス線経由に変更されました。一部の区間では最高時速160kmで運転されるようになり、それまでより15分も所要時間が短くなりました。時速160kmで運転する区間には102ページの写真のように160と書いた標識があります。

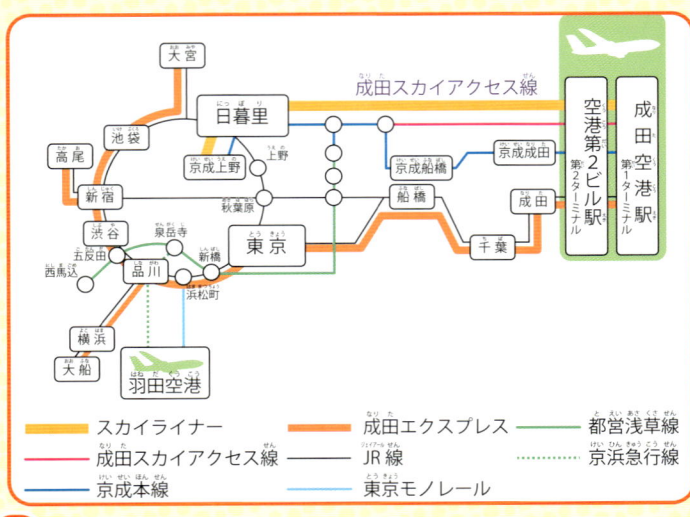

- スカイライナー
- 成田エクスプレス
- 都営浅草線
- 成田スカイアクセス線
- JR線
- 京浜急行線
- 京成本線
- 東京モノレール

▲スカイライナーの先頭部は空気抵抗の少ない流線型です。
鉄道友の会のブルーリボン賞受賞を記念したマークがついています。

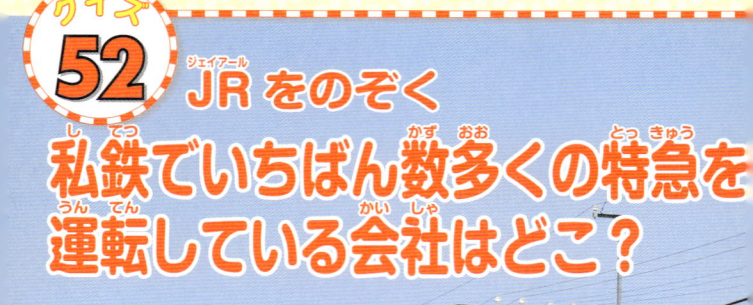

JR をのぞく

私鉄でいちばん数多くの特急を運転している会社はどこ？

① 近鉄

② 小田急電鉄

③ 名古屋鉄道

近鉄は、毎日、全線で 400 本以上の特急を運転しています。この数は私鉄ナンバーワン。大都市のターミナルや、沿線各地の観光地をさまざまな特急電車が結んでいます。106・107ページの「さくらライナー」は、大阪阿部野橋−吉野間で運転されています。

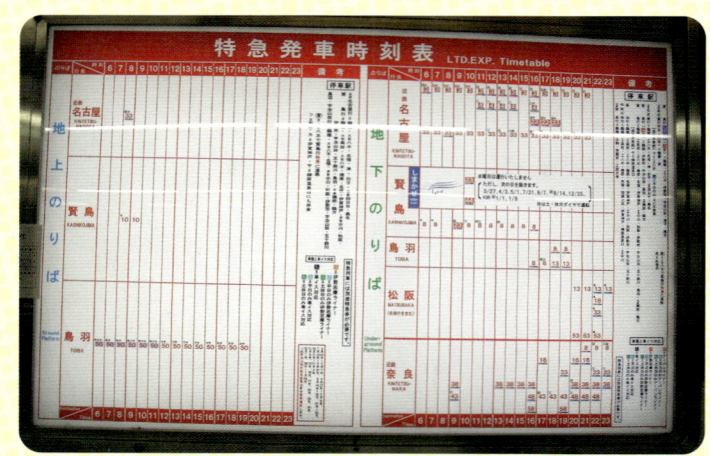

▲特急専用の発車時刻表もあります。

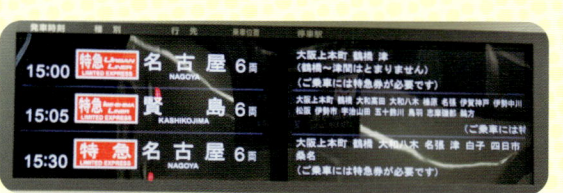

◀次々に発車する特急列車

▲丸みのある顔のAce22600系は標準軌の特急として活躍しています。

▲豪華な室内と大きな窓からの展望が人気の「しまかぜ」

日本で初めて登場した2階建ての特急の愛称は？

① ビスタカー

② パノラマカー

③ ロマンスカー

クイズ 54

日本で初めて運転台を2階に上げた、この赤い特急電車は何？

1 パノラマカー

2 ロマンスカー

3 レッドアロー

ビスタカー

　1958年に運転を開始した近鉄10000系「ビスタカー」は、7両編成中の2両を2階建て構造として、日本中を驚かせました。特急電車を2階建てにしたのは世界でもこれが初めてでした。これは、当時の近鉄の社長がアメリカを旅行したときに、2階建ての客車に感動し、同じアイディアを日本に持ち帰ったことがきっかけでした。2階建て車両は、第2代、第3代にも受け継がれ、「ビスタカー」は近鉄特急の代名詞となりました。

▲2代目ビスタカー

クイズ **54** の答え ①

パノラマカー

　電車の運転台を2階に上げ、その下に展望席を作れば乗客が前方の展望を楽しむことができます。このすばらしいアイディアを日本で初めて実現したのが、1961年6月に登場した名古屋鉄道7000系「パノラマカー」でした。先頭部に作られた定員16名の展望席は人気の的となり、7000系は1999年まで、特急として活躍しました。

◀速度計もついた先頭車の展望席は大人気になりました。

▶1975年ころのパノラマカー。

関西地方で初めて
車内にテレビをそなえた
「テレビカー」を
運転したのはどこ？

❶ 京阪電気鉄道　**❷** 近鉄　**❸** 南海電鉄

1963 年に
日本の私鉄ではめずらしい
食堂車を運転したのはどこ？

❶ 伊豆急行　**❷** 小田急電鉄　**❸** 東武鉄道

次にあげる私鉄の中で、
特急を運転しているのはどこ？

❶ 一畑電車

❷ 新京成電鉄

❸ 上信電鉄

クイズ 58

長野電鉄の特急電車
「スノーモンキー」が、
かつて JR で走っていた列車とは？

❶ 東京から伊豆方面へ走る観光特急

❷ 東京から房総方面へ走る海水浴特急

❸ 成田空港への空港連絡特急

クイズ 59

かつて小田急でロマンスカーとして
運転された車両を、特急として
運転しているのはどこ？

❶ 伊豆急行　**❷** 長野電鉄　**❸** 神戸電鉄

京阪電気鉄道

1954年8月、まだテレビがめずらしかった時代に、特急電車の車内にテレビを設置し、ニュースやプロ野球が放映されたテレビカーが大変な人気となりました。日本初は1954年春の京成電鉄です。

伊豆急行

伊豆急行は、温泉などを訪れる多くの観光客でにぎわいます。私鉄ではめずらしい食堂車の運転が開始されたのは1963年。車内では軽食、飲みものが出され、車両には「スコールカー」という愛称がつきました。

一畑電車

島根県を走る一畑電車北松江線は、全長33.9kmの短い路線ですが、平日朝に1本だけ特急を運転。「スーパーライナー」という愛称がつけられ、通勤客に親しまれています。

クイズ58の答え ③

成田空港への空港連絡特急

長野電鉄の特急「スノーモンキー」として運転されている2100系は、もともとはJR東日本253系として作られた電車です。

253系は成田空港への連絡特急「成田エクスプレス」として2010年6月まで活躍しました。

クイズ59の答え ② 長野電鉄

長野市を中心に33.2kmの路線を有する長野電鉄。ここで特急として活躍しているのが1000系「ゆけむり」。

もとをただせばこの車両は小田急ロマンスカー10000系として活躍していた車両です。

クイズ
60

かつて小田急で運転されて
「フジサン特急」という

いた電車を改造して名前で運転しているのはどこ？

① 伊豆箱根鉄道

② 静岡鉄道

③ 富士急行

　富士急行の「フジサン特急」は、かつて小田急ロマンスカー20000形「RSE」として運転された電車です。
　富士急行へ導入するときに改造工事を実施。車体にさまざまな表情の 58 もの富士山のイラストが描かれた、楽しい姿に変身しました。

▲正面にも富士山の絵が描かれています。

日本の地下鉄で、特急料金が必要な特急が走っているのはどこ？

1. 東京メトロ
2. 東京都交通局
3. 京都市交通局

▲ホームに特急券発売機があります。

　小田急ロマンスカー 60000 形「MSE」は、地下鉄を走ることのできる特急形電車として 2008 年に運転を開始しました。北千住から東京メトロ千代田線を経由して、箱根湯本方面などに走っています。このほか、60000 形は新宿発の JR 御殿場線乗り入れ特急「ふじさん」として富士山のふもとも走っています。

▲JR 御殿場線乗り入れ特急「ふじさん」としても走ります。

かつて近鉄、南海で
運転されていた特急形電車を
当時の色のまま
運転しているのはどこ？

▼かつて近鉄で特急として走っていた車両

1 高松琴平電気鉄道

2 福井鉄道

3 大井川鐵道

クイズ 63

登山客を運ぶために、
私鉄ではめずらしい

夜行列車を
運転しているのはどこ？

1 東武鉄道

2 西武鉄道

3 近鉄

クイズ 62 の答え ③

大井川鐵道

　蒸気機関車（SL）の復活運転でも有名な静岡県の大井川鐵道は、関西の私鉄で特急として運転された車両を導入。現在は普通列車として運転しています。車体の色も特急時代から変わらず、なつかしい姿で観光客を喜ばせています。

▲SL（エスエル）とならんだ、もと南海電鉄（なんかいでんてつ）の特急形車両（とっきゅうがたしゃりょう）。

クイズ **63** の答え（こた）　**①**

東武鉄道（とうぶてつどう）

　私鉄（してつ）ではめずらしい夜行列車（やこうれっしゃ）を運転（うんてん）しているのが東武鉄道（とうぶてつどう）です。夏（なつ）の登山（とざん）シーズンと冬（ふゆ）のスキーシーズンに浅草発（あさくさはつ）、野岩鉄道会津（やがんてつどうあいづ）高原尾瀬口（こうげんおぜぐち）行きの電車（でんしゃ）を運転（うんてん）します。早朝（そうちょう）に会津高原尾瀬口（あいづこうげんおぜぐち）に到（とう）着（ちゃく）してバスに連絡（れんらく）します。127ページの写真（しゃしん）は夏（なつ）に運行（うんこう）される「尾瀬夜行（おぜやこう）」です。冬（ふゆ）に運行（うんこう）されるのは「スノーパル」とよばれています。

私鉄の中でいちばん長い編成の電車を運転しているのはどこ？

1 京浜急行

2 西武鉄道

3 近鉄

赤い4両の後ろには、青い電車が何両あるか数えられるかな？

クイズ
65

▼総武・横須賀線の長い編成。

ＪＲの通勤電車、
中距離電車で、
もっとも長いのは
何両編成？

① 12 両

② 15 両

③ 16 両

京浜急行 (けい ひん きゅう こう)

　JR をのぞく私鉄 (してつ) で最長 (さいちょう) となる 12 両編成 (りょうへんせい) の電車 (でんしゃ) を動 (うご) かしているのが京浜急行 (けいひんきゅうこう) です。通勤客輸送 (つうきんきゃくゆそう) のために金沢文庫 (かなざわぶんこ)—品川間 (しながわかん) で 12 両編成 (へんせい) が走 (はし) ります。京浜急行 (けいひんきゅうこう) の車両 (しゃりょう) は 1 両 (りょう) の長 (なが) さが 18mで、20m の車体 (しゃたい) を採用 (さいよう) している JR などよりも短 (みじか) いのですが、12 両 (りょう) という長編成 (ちょうへんせい) が走 (はし) る姿 (すがた) には迫力 (はくりょく) があります。

クイズ65の答え ❷ 15両

　JRの中距離電車でもっとも長いものは15両編成で運転されています。一度に多くのお客さんを乗せて、速いスピードで、発着時刻を守って走ることができるのが、自動車などにはない鉄道の長所です。これからも、通勤客を運ぶことが鉄道のいちばん大きな役割となるでしょう。

▲むかしは15両編成の先頭に荷物電車1両を連結した16両編成の電車がありました。

湘南新宿ラインで活躍するE231系の15両編成。

クイズ 66

JR で、路線の総延長がいちばん長い会社は？

1. JR 東日本
2. JR 東海
3. JR 西日本

クイズ 67

JRをのぞく私鉄で、路線の総延長がいちばん長い会社は？

① 東武鉄道

② 名古屋鉄道

③ 近鉄

　JR 各社は、1987 年 4 月 1 日に、旧・日本国有鉄道を引き継ぎ、6 つの旅客鉄道会社と、1 つの貨物鉄道会社に分かれてスタートを切りました。その中で最大の経営規模をもつのが、本州のおよそ東半分の路線を所有する JR 東日本で、路線延長は 7281.3 営業キロ。1 日におよそ 1790 万人の乗客を運んでいます。

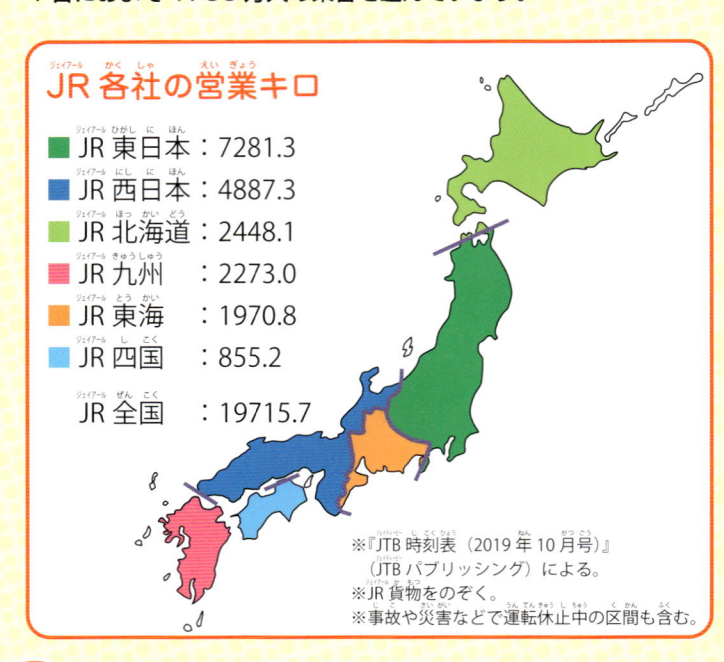

JR 各社の営業キロ

- 🟩 JR 東日本 ： 7281.3
- 🟦 JR 西日本 ： 4887.3
- 🟩 JR 北海道 ： 2448.1
- 🟥 JR 九州　 ： 2273.0
- 🟧 JR 東海　 ： 1970.8
- 🟦 JR 四国　 ： 855.2
- 　JR 全国　 ： 19715.7

※『JTB 時刻表（2019 年 10 月号）』
　（JTB パブリッシング）による。
※JR 貨物をのぞく。
※事故や災害などで運転休止中の区間も含む。

クイズ **67** の答え ③ 近鉄

　JRをのぞく私鉄各社の中で最大の規模をもっているのが近畿日本鉄道（近鉄）です。大阪、京都、愛知などの2府3県に路線をもち、路線の総延長は501.1kmあります。1日におよそ158万人の乗客を運んでいます。特急が数多く運転されていることで人気があります。

軌道┐

		km
1）近鉄		501.1
2）東武鉄道		463.3
3）名古屋鉄道		444.2
4）東京メトロ		195.1
5）西武鉄道		176.6
6）南海電鉄		154.8
7）京成電鉄		152.3
8）阪急電鉄		143.6
9）小田急電鉄		120.5
10）西日本鉄道		106.1
11）東急電鉄		104.9
12）京阪電鉄		91.1
13）京浜急行		87.0
14）京王電鉄		84.7
15）阪神電鉄		48.9
16）相模鉄道		35.9

私鉄各社の営業キロ

※『大手民鉄の素顔』より、日本民営鉄道協会の集計による（2019年3月31日現在）。

137

東京メトロ副都心線と
いくつの鉄道会社の

① 3社　**②** 4社　**③** 5社

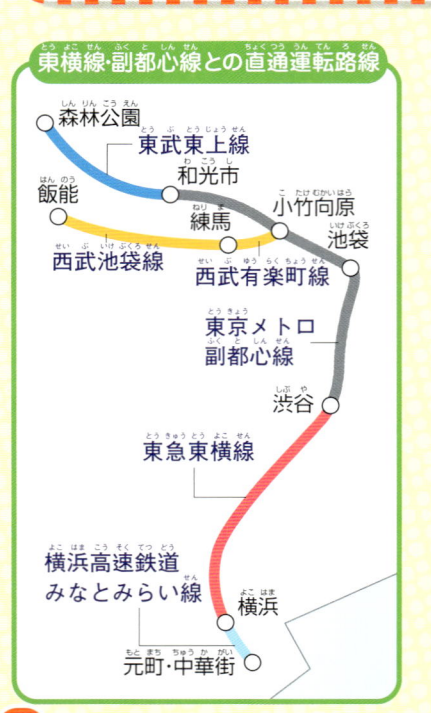

東横線・副都心線との直通運転路線

- 森林公園
- 東武東上線
- 和光市
- 飯能
- 練馬
- 小竹向原
- 池袋
- 西武池袋線
- 西武有楽町線
- 東京メトロ
  副都心線
- 渋谷
- 東急東横線
- 横浜高速鉄道
  みなとみらい線
- 横浜
- 元町・中華街

つながった東急東横線には、車両が走っている？

▲東武鉄道 50070 系

▼東京メトロ 7000 系

▼横浜高速鉄道 Y500 系

クイズ 68 の答え ③

東急、東京メトロ、東武鉄道、西武鉄道、横浜高速の
5社の車両が走っている

東京と横浜を結んでいる東急東横線は、2013年3月16日から、渋谷で東京メトロ副都心線とつながりました。これにより副都心線を経由して西武鉄道、東武鉄道との相互乗り入れ運転が始まりました。さらに横浜高速鉄道の車両も乗り入れていることから、東横線の線路を5社の車両が走るようになりました。

▲西武鉄道6000系（手前）と東急5050系（奥）

私鉄ではめずらしい 3複線（6本の線路がならぶ）区間のある私鉄はどこ？

❶ 西武鉄道　　**❷ 阪急電鉄**

❸ 阪神電鉄

クイズ 70

2019年3月に運行を開始した西武鉄道の001系特急列車の名前は？

❶ レッドアロー
❷ S-TRAIN
❸ ラビュー

クイズ 71

JRをのぞく日本の私鉄でいちばん数多くの電車を保有している会社はどこ？

❶ 東京メトロ　❷ 近鉄
❸ 西武鉄道

　大阪、京都、兵庫に路線をもつ私鉄、阪急電鉄のもっとも大きなターミナル駅が、大阪にある大阪梅田です。大阪梅田から十三までの間は、宝塚線、神戸線、京都線という３方向に向かう線路がならんでいます。どの路線も複線であることから、ここにならぶ線路は６本。複数の電車がならんで走ることもあります。

クイズ**70**の答え ③ ラビュー

　西武鉄道の新型特急「ラビュー」は、前面に国内初となる曲面ガラスを用いた丸みのある先頭車両が特徴です。車内はソファーのようなデザインの座席に大きな窓を配置し、リビングのようにくつろげる空間になっています。

クイズ**71**の答え ① 東京メトロ

　JRをのぞく私鉄でいちばん数多くの電車を保有しているのが東京メトロです。その数は2700両をこえていて、私鉄では断然トップです。これだけ多くの電車が東京の地下を走り、毎日の通勤輸送をささえています。

クイズ 72

日本で初めて開業した地下鉄はどこを走った？

❶ 上野―浅草間　　❷ 東京―新宿間

❸ 梅田―天王寺間

クイズ 73

東京の山手線が全線開業して環状運転を始めたのはいつ？

❶ 1891（明治24）年

❷ 1925（大正14）年

❸ 1964（昭和39）年

クイズ 74

国鉄が通勤電車に初めて冷房車を投入した路線はどこ？

❶ 山手線　　❷ 中央線　　❸ 大阪環状線

クイズ 75

現在の通勤電車ではふつうにみられる
片側に４つの扉を取り付けた電車を
初めて運転した路線はどこ？

❶ 現在のJR山手線

❷ 現在のJR中央本線

❸ 現在のJR鶴見線

クイズ 76

私鉄で初めて、片側に
５か所の扉を設けた５扉車を
運転したのはどこ？

❶ 東急電鉄　❷ 京阪電気鉄道　❸ 阪急電鉄

クイズ 77

日本で初めて
オールステンレス製車体の
通勤電車を運転した私鉄はどこ？

❶ 東急電鉄　❷ 南海電鉄　❸ 山陽電鉄

クイズ72の答え ① 上野—浅草間

　日本で初めての地下鉄は、1927年12月30日に上野—浅草間で開業しました。この路線は現在の東京メトロ銀座線の一部です。

クイズ73の答え ② 1925（大正14）年

　東京の山手線は、もとは日本鉄道という私鉄が建設した路線で当時の赤羽から品川にかけての線路が1885年に開通しました。やがて東京の町の発展とともに1925年に環状運転が開始されます。

クイズ74の答え ① 山手線

　冷房化は私鉄の方が早かったのですが、国鉄の通勤電車では1970年の山手線103系が最初でした。

▲山手線103系

▲2016年に運行開始の山手線E235系

クイズ75の答え 現在のJR鶴見線

太平洋戦争中の1943年、横浜の工業地帯を走る私鉄、鶴見臨港鉄道に、日本で初めて車体の片側に4つのドアをもつ電車が登場しました。鶴見臨港鉄道はその後、国に買収され、現在はJR鶴見線となっています。

クイズ76の答え ② 京阪電気鉄道

京阪電気鉄道が1970年から運転を開始した5000系電車は、日本で初めて車体の片側に5つのドアが設けられた車両です。

クイズ77の答え ① 東急電鉄

それまでは鉄で作ることが当たり前だった電車の車体をステンレスに変え、軽量化を進めたのが、東急電鉄でした。1962年に登場した7000系は、日本で初めて、車体がすべてステンレスで作られた車両です。

直流と交流、
2種類の方式によって
電化されている私鉄はどこ？

① 阿武隈急行

② 名古屋鉄道

③ 首都圏新都市鉄道
つくばエクスプレス

直流とか交流って、
どういうこと？

クイズ 79

日本一路線が短い私鉄は何県にある？

近くに大きな国際空港があるのがヒントだよ

① 和歌山県

② 千葉県

③ 兵庫県

首都圏新都市鉄道
つくばエクスプレス

秋葉原とつくばの間 58.3km を結ぶ「つくばエクスプレス」は、首都圏新都市鉄道が 2005 年 8 月に開業した鉄道です。この鉄道のほぼ中間にある守谷から南は直流で、北は交流で電化されています。

沿線の石岡市には気象庁の地磁気観測所があり、直流による電化は観測に影響が出る可能性があるため、交流電化が採用されているのです。

クイズ79の答え ② 千葉県

千葉県にある第三セクター、芝山鉄道は路線の延長2.2kmという日本でいちばん短い鉄道です。2002年10月に東成田―芝山千代田間の1駅の間だけが開業し、今日にいたっています。成田空港ができたことで交通が分断されてしまう成田空港の東側へのルートとして、鉄道が建設されました。

はにわの里人

日本一短い
芝山鉄道

寄贈：芝山工業団地連絡協議会 芝山会

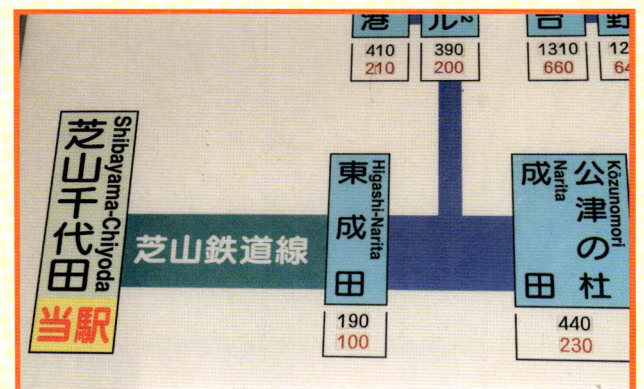

		港	ル		谷	当
		410	390		1310	12
		210	200		660	

芝山千代田 Shibayama-Chiyoda　当駅

芝山鉄道線

東成田 Higashi-Narita
190
100

成田 Narita　公津の杜 Kōzunomori
440
230

ネコ駅長がいることで
イラストの入った電車
どこにある？

車体に「たま（ネコ駅長）」のイラストが
描かれた「たま電車」も運転されています。

有名（ゆうめい）になり、ネコ駅長（えきちょう）の
も運転（うんてん）されている私鉄（してつ）は

1 和歌山県（わかやまけん）

2 長野県（ながのけん）

3 広島県（ひろしまけん）

クイズ **80** の答え ① こた

和歌山県 わかやまけん

　ネコ駅長がいるのは、和歌山県を走る私鉄、和歌山電鐵です。終点・貴志駅で駅長を務めていたのが「初代たま」。駅の売店の飼い猫が駅長に任命されるということが評判になって、「たま」はたちまち全国の人気者になりました。

▶こちらは二代目駅長の「ニタマ」。「よんたま」駅長と交代で勤務します。

▼貴志駅の駅舎。ニャンだか屋根がネコ！

▶記念切符にも
たま駅長がいます。

クイズ 81
北アルプスのふもとを
他の鉄道にはない大きな

クイズ 82
大井川鐵道の井川線。
他の鉄道にはない特徴は何？

① 蒸気機関車の引くトロッコ列車がある

② 太陽電池で動く電気機関車がある

③ 急こう配を上るためアプト式軌道がある

走る黒部峡谷鉄道。特徴は何？

❶ 冬の間は車両の色を塗り替える

❷ 冬の間は運賃が３倍になる

❸ 冬の間は一部の線路を外して運休する

159

冬の間は一部の線路を外して運休する

　富山県を走る黒部峡谷鉄道は、路線のほとんどすべてが北アルプス（飛騨山脈）の高い山のふもとを走っています。冬には沿線に深い雪が積もることから、運転は不可能になります。そこで冬の間は事故が起こらないように、一部の線路や枕木を取り外し、春が来たらこれを元通りに直して、運転を再開します。

クイズ82の答え ③

急こう配を上るためアプト式軌道がある

　静岡県を走る大井川鐵道の千頭—井川間は井川線とよばれ、小さなトロッコ客車を運行しています。この井川線にあるのが、アプト式軌道です。線路の中央に歯車のような歯をきざんだラックレールをしき、機関車に取り付けた歯車を噛み合わせて急な坂道を登ります。井川線の沿線にダムが作られ、これを迂回する線路に急な坂道が生まれたことから、アプト式軌道が建設されました。

▲アプト区間では、左右のレールの間にしかれたギザギザのラックレールに、機関車の歯車をかみ合わせて急こう配を上ります。

日本で初めて路面電車が運転されたのはどこ？

❶ 東京都　**❷** 大阪府　**❸** 京都府

路面電車で路線の総延長がいちばん長いのはどこ？

❶ 東京都交通局

❷ 函館市電　**❸** 広島電鉄

クイズ 85

路面電車の中でおでんを食べられる「おでんしゃ」を運転しているのはどこ？

1. 函館市電
2. 豊橋鉄道
3. とさでん交通

163

日本で初めて路面電車による営業運転を始めたのは、1895年、京都電気鉄道です。

小さな電車が6.4kmの道のりを往復しました。そのときの雰囲気を伝える京都の路面電車が、現在は愛知県にある「明治村」で運転されています。

日本の路面電車の中でもっとも大規模に運営されているのが、広島市内などに路線網をもつ広島電鉄です。広島電鉄の路線総延長は35.1km、300両以上の車両を保有しています。数多くの電車が運転され、待たずに乗ることができる路面電車は、広島市に住む人になくてはならない存在となっています。

クイズ85の答え　② 豊橋鉄道

　車内でおでんを食べることができるユニークな路面電車を走らせているのが、豊橋鉄道です。

　豊橋市内を走る「おでんしゃ」には、温められたおでんが積み込まれ、電車の中で食べることができます。「おでんしゃ」は忘年会などのシーズンに運転しており、予約をして乗車します。

ワンマン

おでんしゃ

大根　玉子　鹿の子こんにゃく　さつま揚　魚河岸揚　焼竹輪　結昆布

Ina

廃止になった
ＪＲの路線を使って
「ライトレール」という
名もついた路面電車が
走っているのはどこ？

① 広島県　**②** 富山県　**③** 長崎県

おしゃれな車体のライトレール。

クイズ 87

横浜市営地下鉄グリーンラインの **レールの間にしいてある 板は何？**

① リニアモーター

② 脱線をふせぐためのガイド

③ ブレーキ

　富山市を走る富山ライトレールは、廃止となった JR の線路を利用して、線路の延長や、駅の改良をおこなって運行されています。駅はホームを低くしてお年寄りや子供でも使いやすくなり、電車の運転本数がふやされ、料金も安くなったことで、利用客が大幅に増加しました。

　富山ライトレールは、2020年2月に富山地方鉄道と合併します。

▲ホームが低くて乗り降りがしやすく、バスとの乗り継ぎも便利です。

クイズ **87** の答え ① リニアモーター

▼集電するパンタグラフも小型。

2本のレールの間にしかれているのは、リニアモーター電車を動かすためのリアクションプレートです。

リニアモーター方式の電車は、車体をコンパクトにできるので、トンネルの建設費を節約できます。東京の大江戸線や、大阪の鶴見緑地線なども、リニアモーター方式で運転されている地下鉄です。

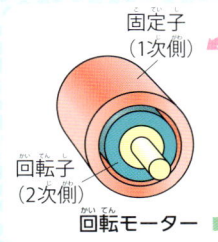

固定子（1次側）

回転子（2次側）

回転モーター

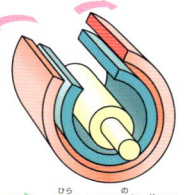

開いて延ばす

2次側（車体に固定）

1次側（線路に固定したリアクションプレート）

リニアモーター

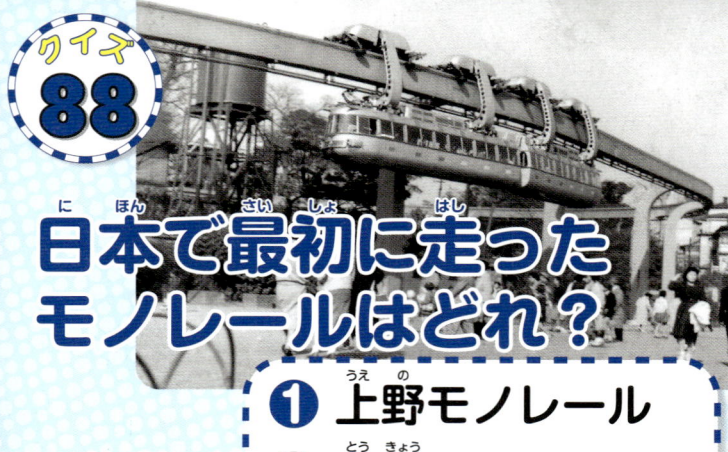

クイズ 88

日本で最初に走った モノレールはどれ？

1. 上野モノレール
2. 東京モノレール
3. 姫路市モノレール

クイズ 89

日本一距離の長い モノレールはどれ？

1. 東京モノレール
2. 大阪モノレール
3. 千葉都市モノレール

鉄道クイズ　モノレール・ケーブルカーなど

日本で初めて建設された新交通システムはどれ？

❶ ゆりかもめ

❷ 大阪メトロ南港ポートタウン線

❸ 神戸新交通ポートアイランド線

▲新交通システムは、鉄のレールや車輪の代わりに、コンクリートでできたガイドウェイをゴムタイヤの車両が走ります。

日本で最初に運転を開始したモノレールは東京の上野動物園を走っていた上野モノレールです。開業は、1957年12月。上野動物園と分園の間のおよそ300mを結ぶ短い路線ですが、未来の乗り物として大変な人気となりました。

▲2001年5月から2019年10月まで運行した40形。

日本でいちばん距離が長いモノレールは、大阪府にある大阪モノレールです。大阪空港駅と門真市駅を結ぶ延長21.2kmの本線と、万博記念公園と彩都西駅を結ぶ延長6.8kmの彩都線の2路線があります。

クイズ **90** の答え ③
神戸新交通ポートアイランド線

コンクリートで作られた軌道の上を、ゴムタイヤをつけた小さな車両が走る新交通システムは、大都市の中を走る新しい交通機関として注目されています。

日本で初めての新交通として開業したのが神戸新交通ポートアイランド線です。三ノ宮駅と神戸空港の間などに路線をもち、「ポートライナー」の愛称で親しまれています。

▲神戸ポートアイランド線

▼横浜の「シーサイドライナー」も同じ新交通システムで運転されています。

日本最初のケーブルカーはどこにある？

1 長野県
2 奈良県
3 東京都

奈良県にある生駒ケーブル

1918年、日本で初めてのケーブルカーとして開業したのが、奈良県の生駒山に建設された生駒ケーブルです。初めは、木造の車両を550Vのモーターで引き上げて、運転されました。今では観光だけでなく、住民の足として活躍しています。

▲「ブル号」「ミケ号」という名前がつけられています。

▼途中には、ケーブルカーにはめずらしい踏切もあります。

▼ケーブルカーにはめずらしく線路は、複線です。

日本一急なこう配のある ケーブルカーはどれ？

① 高野山ケーブル

② 伊豆箱根鉄道

③ 高尾登山電鉄

ケーブルカーはどうしてうまくすれちがうことができるの？

1 2台の車両の走る線路が決まっているから

2 スピードが遅いから

3 運転がじょうずだから

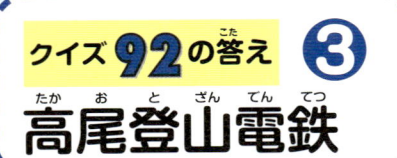

高尾登山電鉄
（たか　お　と　ざん　てん　てつ）

日本（にほん）にあるケーブルカーの中（なか）で、もっとも急（きゅう）なこう配（ばい）があるのが、東京（とうきょう）の高尾山（たかおさん）にある高尾登山電鉄（たかおとざんでんてつ）です。延長（えんちょう）1.02km。両駅間（りょうえきかん）の高低差（こうていさ）は 271m。途中（とちゅう）に 608 パーミル（水平距離（すいへいきょり）を 1000m進む間（あいだ）に 608mの高低差（こうていさ）を登（のぼ）る角度（かくど））のこう配区間（くかん）があります。

クイズ 93 の答え ① 2台の車両の走る線路が決まっているから

　ケーブルカーの多くは、2台の車両が1本の長いケーブルでつながっていて、線路のちょうど中央で上り、下りの車両がすれちがうようにできています。このとき、それぞれの車両は複線になった部分のどちら側を走るかが車輪の形によって決まっていて、坂を登るときも、下るときも同じ線路を走ります。だから2つの車両が衝突することはありません。

▲写真の左側が外側のレールをはさんで動き、右側の車輪は内側のレールの上をころがっていきます。

現在、日本でただ1か所トロリーバスが走っているのは何県？

① 長野県　**②** 富山県　**③** 山梨県

クイズ 95

ゴムのタイヤで走る
地下鉄は、次のうちどれ？

① 札幌市営地下鉄
② 東京都営大江戸線
③ 横浜市営ブルーライン

クイズ 96

新幹線の線路の幅は、
次のうちどれ？

① 1435mm　② 1372mm
③ 1067mm

クイズ 97

外国には車輪の幅を
変えられる鉄道がある。
それは次のうちどの国？

① イギリス　② ドイツ　③ スペイン

　長野県の信濃大町から、途中、黒部ダムを経由して富山県の電鉄富山にいたる観光コースは「立山黒部アルペンルート」とよばれ、ケーブルカー、ロープウェイなどの乗り物を乗り継いで、北アルプス（飛騨山脈）を横断することができます。

　架線から電気をとり入れてモーターを回して走るトロリーバスが、日本で唯一走っているのがここ。立山トンネルトロリーバスは富山県内の立山トンネル（室堂一大観峰）内を走行し、排気ガスを出さない乗り物として活躍しています。

▲黒部ダム

クイズ**95**の答え **1**

札幌市営地下鉄

　ゴムタイヤは鉄の車輪と比べて音が静か、急こう配でも走れるなどの利点があります。

クイズ**96**の答え **1**

1435mm

　左右のレールの幅を軌間といい 1435mm を標準軌とよびます。世界でもっとも数多く使われている軌間です。

クイズ**97**の答え **3**

スペイン

　スペインの鉄道でもっとも多いのが 1668 mm の広軌です。これでは国際列車の運転には不便なので、同じ客車のまま車輪の間隔を変えることができる車両があります。

広軌・標準軌・狭軌

1676mm
　インド、アルゼンチンなど
1668mm
　スペイン、ポルトガルなど
1520mm
　ロシアなど
1435mm（標準軌）新幹線
　ヨーロッパ、アメリカなど世界の鉄道。日本でも関西の私鉄や大都市の地下鉄に多い。
1372mm
　京王、都電荒川線など
1067mm
　JR在来線ほか全国の私鉄に多い
762mm
　黒部峡谷鉄道など
　標準軌より広いものを広軌、狭いものを狭軌といいます。

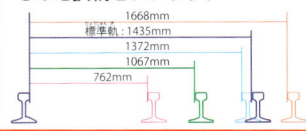

ドイツのある町を走る
この車両のすごいところは？

路面電車です。

↑これはふつうの路面電車です。

① 食堂車がついている

② 屋根が開いてオープンカーになる

③ 町の外では特急列車と同じ線路を走る

クイズ98の答え ③

町の外では特急列車と同じ線路を走る

▲ドイツ鉄道の線路を走る路面電車。

ドイツのカッセル市の郊外と町中を結ぶ路面電車です。ドイツ鉄道の特急や快速列車が走るのと同じ線路を走ります。カッセル中央駅から駅舎の下を通り抜けて町中に出ると、ふつうの路面電車に混じって走ります。

▶ドイツ鉄道の列車

▲ホームがゆるい坂道になっているカッセル中央駅。

たくさんの列車が
発着する東京駅には
線路がいくつある？

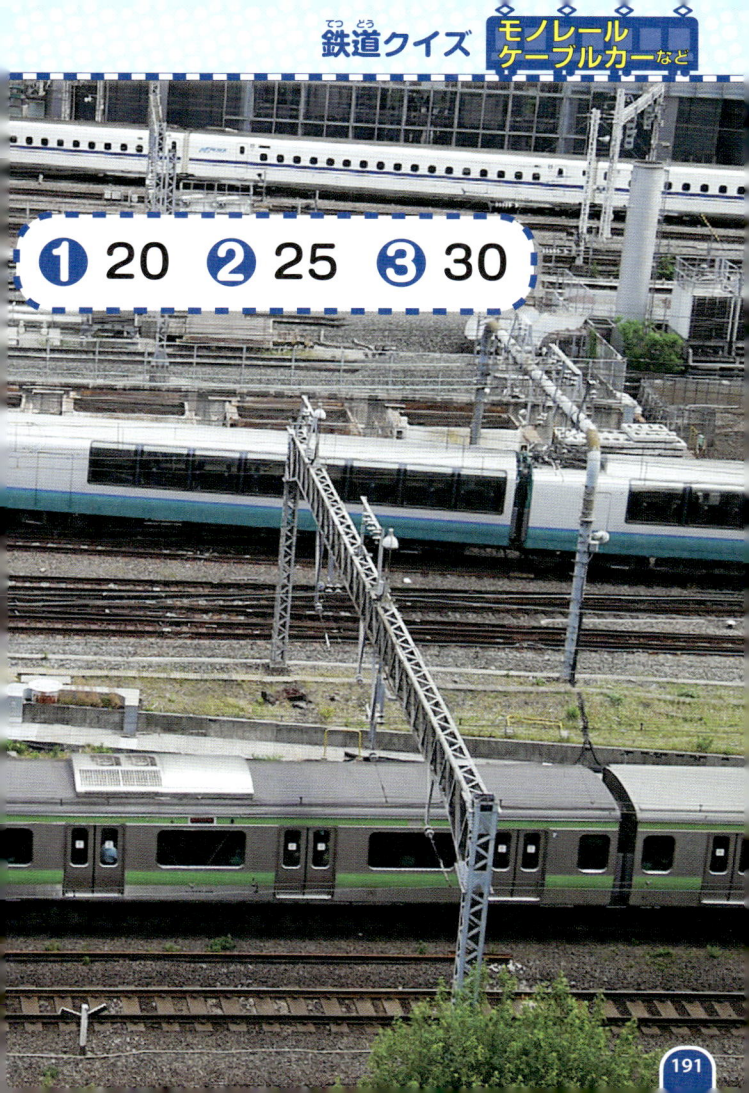

❶ 20　❷ 25　❸ 30

線路の本数は 30 本

東海道・山陽新幹線…6
東北・山形・秋田・上越・長野新幹線…4
東海道本線…4
山手線…2
京浜東北線…2
中央本線…2
総武本線・横須賀線…4（地下）
京葉線…4（地下）
丸ノ内線（東京メトロ）…2（地下）
◆合計 30 本

◀むかしの姿に修復された東京駅丸の内口駅舎。この道路の下にもホームがあります。

東京駅は、首都東京の玄関口とも言われ、新幹線や通勤電車など
たくさんの路線が集まっています。地下鉄の丸ノ内線まで入れると
ホームは15面、30本の線路があります。周辺には官庁やオフィス
ビル、商業ビルも多く、駅や周辺のビル街も再開発が進んでいます。

▲KITTE（旧中央郵便局）の屋上からは、東京駅の
ようすが一目でながめられます。

東京駅ホーム
中ほどの線路わきにある
「0」と書かれた標識は何？

新幹線と東海道本線
の間だね

① 線区の起点を表す

② ホームの中心の印

③ 速度 0km を表す

線区の起点を表す

この標識は線区の起点を表す「0キロポスト」です。東京駅は多くの線区の起点になっているので、たくさんの0キロポストがあります。

◀東京駅1番線（中央線ホーム）にある0キロポスト。中央線0キロポストは、もと万世橋駅にありましたが駅の廃止に伴い東京駅に移されました。

◀地下にある京葉線ホームの0キロポストと「房総エクスプレスわかしお」

▲東北新幹線のホームにある０キロポスト

▼京浜東北線にある０キロポスト。東海道本線と東北本線の起点。右はこう配標。

▲山手線内回りと外回りの間にある０キロポスト

■監修
鉄道研究家　**池口英司**（いけぐちえいじ）

■写真
荒川好夫
伊藤威信
川上直行
河野豊
北浜洋
結解学
小林大樹
志村隆
勢芳明
高木英二
高波昭
松本正敏
松本典久
森嶋孝司
諸河久
米村博行
RGG
PIXTA

■イラスト・図版
茶々あんこ
小堀文彦
（エデアグス）

■協力
博物館明治村

■編集協力
志村隆
川上直行
（ヴィップス出版）

高波昭
岡田登久子

■装丁・デザイン
神戸道枝

■本文デザイン
茶々あんこ

■編集
石河真由子

学研の図鑑LIVE

鉄道のクイズ図鑑 改訂版

2013年10月 2日 第1刷発行
2019年12月17日 改訂版 第1刷発行

発行人	土屋 徹
編集人	芳賀靖彦
発行所	株式会社 学研プラス
	〒141-8415
	東京都品川区西五反田2-11-8
印刷所	共同印刷株式会社

■この本に関するお問い合わせ先
●本の内容については
　Tel：03-6431-1280（編集部直通）
●在庫については
　Tel：03-6431-1197（販売部直通）
●不良品（乱丁、落丁）については
　Tel：0570-000577
　学研業務センター
　〒354-0045
　埼玉県入間郡三芳町上富279-1
●上記以外のお問い合わせは
　Tel：03-6431-1002
　（学研お客様センター）

■学研の書籍・雑誌についての新刊情報・
　詳細情報は、下記をご覧ください。
　学研出版サイト
　https://hon.gakken.jp/

お客様へ
＊表紙の角が一部とがっていますので、お取り
扱いには十分にご注意ください。

100問クイズ
おつかれさま！

何問できたかな？

キミの点数は？

点